Édito

Dieu, c'est qui ?

Voilà une question directe, inspirée par celles que les enfants nous posent, avec la tranquille assurance de recevoir une réponse à la hauteur de la question : profonde, mais simple comme bonjour.
Souvent, nous sommes plus à l'aise pour parler de Jésus que de Dieu, alors nous leur répondons en leur disant qui est Jésus. Mais un peu plus tard, la même petite voix s'élève : « Oui, mais Dieu, c'est qui ? » « Il est où ? Qu'est-ce qu'il fait ? Il est grand comment ? »
Bon, alors… asseyons-nous et essayons…
Comment évoquer Dieu, si ce n'est par images, comme les hommes le font depuis la nuit des temps ? Les enfants ont besoin eux aussi de ces images pour construire leur pensée et leur foi.
Mais certaines images ont donné naissance, avec le temps, à des interprétations erronées, et curieusement, ces interprétations se retrouvent spontanément dans l'imagination de nos enfants.
Dans ces pages, nous vous proposons une sorte de jeu du portrait, à faire avec vos enfants : reconnaître ensemble certaines de ces images toutes faites, et proposer juste après d'autres images, plus proches du Dieu auquel nous croyons. Jeu à la fois profond et léger qui, nous l'espérons, vous inspirera d'autres images à partager…

Marie-Agnès Gaudrat
pour la rédaction de Pomme d'Api Soleil

D1208537

Sommaire

C’est un peu bizarre d’aimer
quelqu’un qu’on ne connaît pas.
C’est plutôt rare de faire confiance
à quelqu’un qu’on ne voit pas !
C’est pourtant l’étonnante histoire
qui nous relie à Dieu.
Bien sûr, on aimerait le voir, on aimerait
qu’un jour il nous dise : « Je suis là. »
Mais ça ne se passe pas vraiment comme ça.
Alors on est nombreux à se demander :

MAIS QUI EST DIEU ?

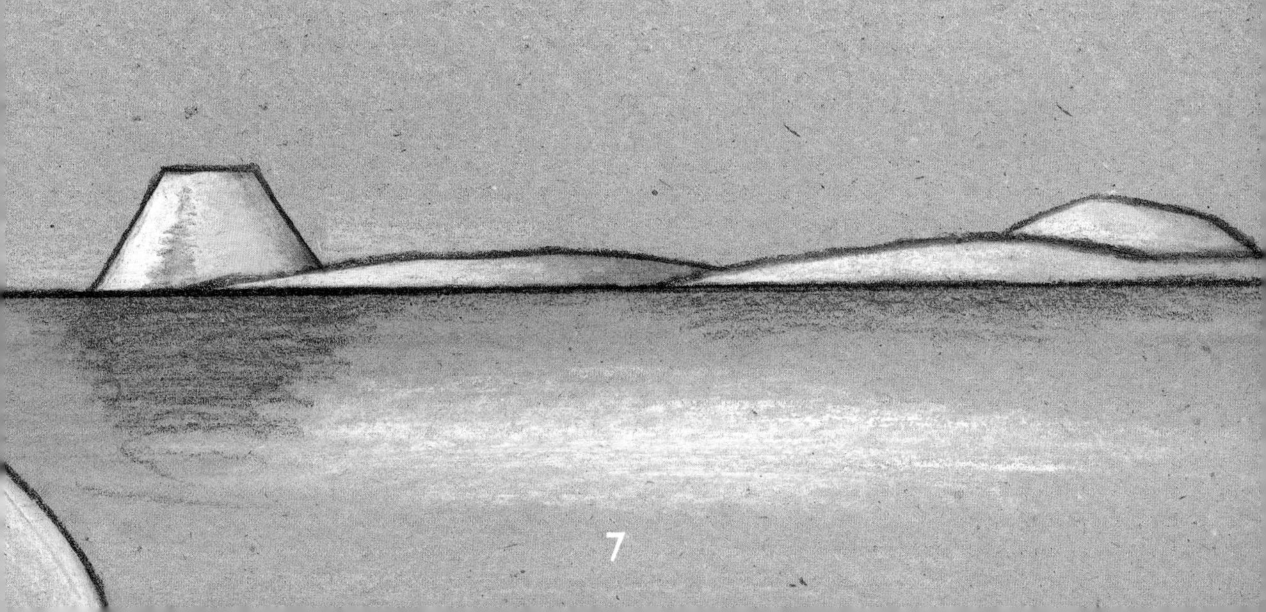

Parfois, on imagine
que Dieu est une sorte de magicien invisible
qui, d'un claquement de doigt,
peut tout arranger.

Et si Dieu était plutôt
comme un papa qui aide son enfant
discrètement
et qui lui fait confiance ?

Parfois, on imagine
que Dieu est une sorte de commandant
qui voit tout, qui sait tout,
qui organise tout pour nous!

Et si Dieu était plutôt
comme une maman
qui connaît bien son enfant
et qui le laisse jouer et apprendre ?

Parfois, on imagine
que Dieu est une sorte de gentil vieux bonhomme,
un peu comme le père Noël,
à qui on pourrait demander
tout ce qu'on veut, quand on veut...

Mais peut-être Dieu est-il plutôt
comme un ami
qui écoute son ami
et qui aime être avec lui ?

Dieu ressemble à ce papa,
à cette maman,
à cet ami...
Et à qui donc ressemble-t-il encore ?

MAIS OÙ IL EST, DIEU ?

Quand on entend dire que Dieu est aux cieux,
est-ce que ça veut dire
qu'il habite sur un nuage,
avec toutes ses petites affaires ?

Non, Dieu n'habite pas sur un nuage,
il n'a pas de maison!
Mais comme les cieux,
il est à la fois toujours là,
et toujours impossible à toucher du doigt.
Dire que Dieu est aux cieux,
c'est reconnaître que Dieu est mystérieux.

Quand on dit
que Dieu est dans notre cœur,
est-ce que ça veut dire
qu'il est enfermé là, comme dans une cage ?

Non, Dieu ne se laisse pas enfermer.
Il est comme l'amour
qu'on ne peut pas garder prisonnier.
Quand on s'aime les uns les autres,
c'est un peu de l'amour de Dieu
qui passe entre nous.
Dire que Dieu est dans notre cœur,
c'est reconnaître
que l'amour de Dieu est en nous.

Quand on parle du Royaume de Dieu,
est-ce que ça veut dire
que Dieu vit loin d'ici,
dans un château lointain ?

Non, Dieu ne vit pas dans un lointain château.
Son Royaume est en toi,
en moi, en nous,
comme une petite graine
que chacun peut laisser germer.
Parler du Royaume de Dieu,
c'est reconnaître
que Dieu est tout proche.

Dieu est près de nous comme les cieux.
Il est entre nous comme l'amour.
Il est en nous comme une graine.
Et où est-il encore ?

QU'EST-CE QU'IL FAIT, DIEU ?

On imagine parfois Dieu
comme le fabricant du monde
qui aurait accroché le soleil et la lune,
planté les arbres de la terre,
et modelé les animaux et les hommes.

Et si Dieu était Celui
qui donne l'élan aux hommes, aux femmes
et aux enfants,
de faire de belles choses,
pour être heureux ensemble ?

On imagine parfois Dieu
comme le grand chef du monde
qui décide de tout : du temps qu'il fait,
des maladies, des guérisons
et même des guerres.

Mais peut-être Dieu agit-il
plutôt comme le vent ?
C'est grâce au vent
que le bateau avance,
mais c'est au marin
de savoir où il veut aller.

Alors parfois, on se dit que Dieu ne fait rien,
qu'il reste les bras croisés,
puisqu'il n'empêche pas les orages d'éclater,
les hommes de se battre,
ni même des petits enfants de mourir.

Mais peut-être Dieu agit-il
plutôt comme un père ou une mère
qui, par sa seule présence,
même silencieuse,
permet à l'enfant d'avancer.

Dieu nous donne de l'élan,
comme le vent qui nous pousse en avant,
comme tous ceux
qui savent donner confiance.
Et comment agit-il encore ?

IL EST GRAND COMMENT, DIEU ?

Quand on entend dire que Dieu est grand,
on l'imagine peut-être
comme un géant
qui peut tout écraser sur son passage.

Non, Dieu n'écrase rien, ni personne.
Et pourtant, à sa manière,
il est bien plus grand qu'un géant,
parce qu'il est capable d'être ici, près de nous,
et au bout du monde,
en même temps !

Quand on entend dire que Dieu est grand,
on imagine peut-être
qu'il est le plus vieux du monde
et qu'il est un peu fatigué.

Non, Dieu n'est pas fatigué.
À sa manière, il est toujours jeune,
comme l'eau d'une rivière
qui coule toujours fraîche ;
la vie de Dieu se renouvelle sans cesse !

Quand on entend dire que Dieu est grand,
on imagine peut-être
qu'il nous regarde de haut,
sans s'abaisser à descendre à notre niveau.

Non, Dieu ne nous regarde pas de haut.
Au contraire,
il nous rejoint là où on est,
pour nous accompagner là où il est.
À sa manière,
Dieu nous élève à sa hauteur !

Dieu, on ne peut pas le mesurer,
il est jeune comme l'éternité,
sa grandeur est aussi la grandeur des hommes.
Et comment est-il grand encore ?

IL EST BON COMMENT DIEU ?

Quand on entend dire que Dieu est bon,
on imagine peut-être
qu'il doit nous protéger de tout
comme un gentil savant
qui nous mettrait sous cloche,
pour nous tenir à l'abri des microbes, des maladies
et même des courants d'air !

Et si Dieu était plutôt
comme un jardinier
qui veut la lumière et l'air
pour ses plantes,
malgré le danger ?
Dieu est si bon qu'il nous veut libres!

Quand on a été très méchant
et qu'on pense au « bon Dieu »,
on imagine peut-être qu'il ne nous aime plus
et qu'il n'a qu'une envie :
n'ouvrir sa porte qu'aux gentils.

Et si Dieu était plutôt
comme un ami véritable
qui laisse toujours sa porte ouverte
au cas où on voudrait revenir ?
Dieu est si bon
qu'il peut tout nous pardonner !

Quand on entend dire que Dieu est bon,
on imagine peut-être
qu'il doit régler tous nos problèmes
comme un super-dépanneur
qu'on appelle en cas de besoin.

Et si Dieu était plutôt
comme une maîtresse
qui nous aide à apprendre
sans faire à notre place ?
Dieu est si bon qu'il nous veut forts !

Dieu est bon parce qu'il nous veut libres,
parce qu'il nous veut forts,
parce qu'il est toujours prêt à nous pardonner.
Et comment est-il bon encore ?

PRIER, C'EST QUOI ?

Prier,
c'est aller à la rencontre de Dieu.
Pour se préparer à cette rencontre,
c'est bon de se poser, de s'apaiser,
pour permettre à Dieu de se laisser deviner.
Voici des images pour nous y aider...
À chacun, selon le jour,
de choisir son image préférée.

Prier,

c'est laisser ce qu'on est en train de faire,
ce qu'on a fait, ce qu'on va faire,
c'est laisser glisser toutes ses pensées
et attendre, libre et léger,
Dieu qui est là.

Prier,

c'est s'ouvrir largement,
comme on ouvre une porte en grand,
et rester là, un moment,
tout ouvert, tout confiant,
prêt à recevoir Dieu qui est là.

Prier,

ça peut être aussi
faire de son corps un petit nid,
se replier et écouter très tendrement,
comme on écouterait un secret,
le calme de Dieu qui vit au fond de nous.

Prier,

ça peut être aussi
faire sur soi un signe de croix.
C'est une belle manière de montrer
que de haut en bas,
de gauche à droite,
on s'expose tout entier à Dieu,
comme une plante s'expose au soleil,
comme un arbre s'expose au vent.
Alors on peut dire :
« Au nom du Père, du Fils, et du Saint-Esprit. »

LE COIN DES PARENTS

MAIS QUI EST DIEU ?

Si les enfants nous posent cette question, c'est bien parce que Dieu est mystérieux. On ne l'entend pas, on ne le voit pas. Comment leur dire la présence de Dieu dans notre vie, lui qu'on ne peut pas leur présenter comme on présente n'importe qui ? Pour leur répondre, nous nous sommes inspirés d'une des plus vieilles traditions de l'Église : parler en images. Mais s'ils nous posent cette question, c'est peut-être aussi parce qu'ils ont derrière la tête l'envie de savoir si ça vaut le coup d'y croire, si ce Dieu invisible est vraiment fort. Plus on est jeune, plus l'idée de force est liée au spectaculaire, à la magie, au commandement. Comment leur dire, sans les décevoir, que la puissance de Dieu c'est son amour ?

Pour leur permettre de s'en faire une idée, nous nous sommes appuyés sur des émotions qu'ils connaissent : leurs premières expériences d'amour, celui de leurs parents, ou celui d'un ami.

- À la force d'un Dieu magicien qui pourrait tout transformer à sa guise, nous avons opposé celle d'un père. « Quand vous parlez à Dieu, a dit Jésus, appelez-le *Abba*, c'est-à-dire *Papa* ». On est très loin d'une image lointaine ou tonitruante. Et pourtant, la force d'un papa (ou d'un oncle ou d'un parrain chéri) est rarement mise en doute par un enfant ; c'est une force proche, non-intimidante, et qu'il peut éprouver dans sa vie.
- À l'omniscience d'un dieu qui voit tout, qui sait tout, comme si nous étions un spectacle permanent pour lui, nous avons opposé la tendresse d'une mère qui ne suit pas son enfant à la trace mais qui le connaît. Une manière de les rassurer : Dieu n'est pas un voyeur. S'il nous connaît par cœur, c'est parce que c'est par le cœur qu'il nous connaît.
- L'image d'un dieu qui exauce tout porte en elle un inconvénient : elle risque d'être prise au premier degré par les enfants (le beau temps pour le pique-nique, ou le cadeau qu'on attend) et susciter des déceptions. Nous lui avons préféré celle d'un ami qui nous accompagne, et nous aime tels que nous sommes. Première rencontre, pour cette première question qui cache en elle toutes les autres… ■

MAIS OÙ IL EST, DIEU ?

En cherchant à répondre à cette question, nous jouons au drôle de jeu de « dis-moi où tu habites et je te dirai qui tu es ! » La Bible propose en réponse des « lieux-images ». Chaque lieu-image traduit une petite partie de la réalité. On a donc intérêt à les multiplier pour les laisser se compléter. C'est ce que nous avons tenté en choisissant trois de ces lieux :

- Les cieux, d'abord (sortis tout droit du « Notre Père ») ont le mérite de pousser les murs. On voit d'emblée qu'on change d'échelle. Et même si, à cinq ans, on imagine peut-être un dieu qui a déménagé toutes ses petites affaires sur un nuage, on devine aussi que Dieu est plus mystérieux que l'éternelle image du vieux bonhomme barbu. Mais à vrai dire, les cieux sont moins une image pour dire où est Dieu, que pour dire comment il est : à la fois proche et impossible à enfermer.
- Le cœur a le gros avantage d'associer Dieu à l'amour, de le rapprocher, de le rendre « plus intime à nous-mêmes que nous-mêmes », comme disait saint Augustin. Et cette image des enfants qui font passer un gros cœur entre eux, nous l'avons voulue comme une illustration de ce que Marcel Doumergue appelle plaisamment « la théologie du plombier » : comment sentir l'amour de Dieu, si ce n'est, comme on le fait avec l'eau des robinets, en ouvrant large les vannes pour qu'il passe librement des uns aux autres ?
- Le Royaume de Dieu est sans doute le « lieu-image » le moins immédiat. Parce que le Royaume de Dieu est à l'opposé de ce qu'un enfant peut entendre spontanément par « royaume ». Quelle expérience peut-il avoir d'un royaume, si ce n'est le royaume des contes ? Or, le Royaume de Dieu n'est ni imaginaire, ni somptueux, ni lointain. Il est tout le contraire : proche, caché, discret et déjà présent.

Il y a parfois une confusion dans nos esprits entre Royaume de Dieu et Paradis. Mais si l'on en croit Jésus, le Royaume de Dieu n'est ni ailleurs, ni plus tard. Il est déjà ici, dans notre façon de participer à la vie de Dieu, maintenant. Et ce n'est sans doute pas un hasard si Jésus l'a abordé en racontant des paraboles. Une manière de ne pas l'enfermer dans une définition, une manière sans doute de nous inviter à faire de même. ■

QU'EST-CE QU'IL FAIT, DIEU ?

Saint Ignace de Loyola disait : « Agis comme si Dieu n'existait pas, mais reçois le fruit de tes actions comme si c'était Dieu qui avait tout fait. » Belle invitation à la responsabilité et à l'humilité. Ligne de crête à suivre pour ne tomber ni d'un côté (Dieu va agir, moi je me repose) ni de l'autre (je maîtrise tout, que fait donc Dieu ?)

Mais quelle est la façon d'agir de Dieu ?

- L'image de Dieu créant le monde rejoint le récit de la Genèse, qui nous dit que la façon d'agir de Dieu c'est de CRÉER. Mais il ne faudrait pas laisser les enfants imaginer que Dieu a travaillé au début et que depuis, il se repose ! L'action créatrice de Dieu se conjugue au présent, c'est le sens que nous avons voulu donner à l'image d'un Dieu qui nous donne de l'élan aujourd'hui, car c'est aujourd'hui que nous vivons.
- L'image du grand chef du monde qui déciderait de tout dans les moindres détails est une tentation bien humaine. Mais si l'on en croit la Bible, la façon d'agir de Dieu c'est d'ÊTRE. À la question de Moïse : « Comment t'appelles-tu ? » Dieu répond : « Je suis celui qui est. » C'est pourquoi, à l'image du grand autocrate, nous avons opposé celle du vent. Le vent est un véritable moteur pour les bateaux à voiles, mais il laisse la barre aux marins.
- À l'image d'un Dieu cynique qui nous regarderait nous battre et nous débattre sans lever le petit doigt, nous avons opposé l'amour des parents qui font confiance. Car la façon d'agir du Dieu de Jésus c'est d'AIMER. Et nous le savons bien, nous, parents : aimer nos enfants c'est souvent nous effacer pour leur permettre d'avancer. Bien sûr, ils risquent de tomber. Mais la vie ne va pas sans risques. Oublions nos sombres désirs d'un Dieu qui punirait les méchants, qui débarrasserait la Terre de la violence, qui réglerait tous les problèmes en nous dispensant du coup de nous en préoccuper. Les images du Dieu chrétien nous rappellent plutôt qu'il y a une alliance entre un Dieu vraiment créateur et des hommes vraiment responsables. ■

IL EST GRAND COMMENT, DIEU ?

Comment se faire une idée de la grandeur de Dieu ? Pour un enfant, être grand, c'est d'abord lié à la taille. Se mesurer à la toise reste un plaisir jubilatoire. C'est aussi lié à l'âge, et enfin, au point de vue. Eux qui passent leur vie à se promener dans « des forêts de jambes » savent mieux que personne ce que veut dire « être regardés de haut ». Alors, si nous avions grande envie d'abonder dans leur sens (oui, Dieu est grand), nous voulions éviter le risque d'une certaine méfiance : trop grand, trop lointain, trop hautain.

- À la crainte d'un dieu gigantesque qui à force d'être grand en deviendrait écrasant, nous avons opposé la grandeur d'un Dieu capable d'aimer chacun de ses enfants en même temps, d'un bout à l'autre de la Terre.
- À l'image d'un vieux bonhomme figé à force d'être âgé, nous avons opposé celle du renouvellement perpétuel de la vie de Dieu. Si nous croyons au Dieu créateur, chaque brin d'herbe, chaque nuage, chaque galaxie peut être une occasion d'être épaté par sa jeunesse, son inventivité, sa fantaisie.
- À l'image d'un Dieu hautain, nous avons opposé celle d'un Dieu qui vient nous chercher par la main pour nous emmener vers lui. La grandeur de Dieu se lit aussi dans la grandeur qu'il veut pour l'homme. Il l'a fait « à son image », nous dit la Genèse, « à peine le fis-tu moindre qu'un dieu » nous dit le psalmiste. Toute la foi chrétienne repose sur cet événement positivement incroyable : « le Verbe s'est fait chair », Dieu a choisi de se faire homme. Raconter cela à nos enfants est l'occasion d'oublier que cette histoire a plus de 2000 ans, et de lui retrouver, à travers leurs yeux, son poids de fraîcheur : d'un côté, la grandeur de Dieu (abstraite, transcendante, infinie), de l'autre, la fragilité d'un bébé (bien connue, elle, bien réelle, déjà éprouvée). Difficile, si l'on croit cela, de ne pas penser que chaque enfant a comme frère ce bébé. Difficile alors de ne pas se dire que la grandeur de Dieu est liée à celle de chacun de ses enfants. ■

IL EST BON COMMENT, DIEU ?

Quelle image les enfants peuvent-ils avoir de la bonté de Dieu? Il n'est pas impossible qu'ils s'inspirent de la nôtre pour s'en approcher. Dans la vie de tous les jours, ils ont la fâcheuse habitude de confondre gentillesse et bonté. Si on leur refuse quelque chose dont ils ont envie, il n'est pas rare d'entendre : « Tu n'es pas gentille » ou même « Tu es méchante », et de là à penser : « Tu ne m'aimes pas », il n'y a qu'un pas. Faire comprendre à un enfant que la bonté a quelque chose à voir avec une question toute simple : « Qu'est-ce qui est bon pour toi ? » exige de nous – pauvres parents – une bonne dose de doigté et de fermeté. Nous le savons bien, nous ne sommes pas là pour nous rendre indispensables, c'est même tout le contraire ! Dans l'idéal, notre rôle est d'accompagner pas à pas, tout en sachant nous retirer pas à pas. C'est beaucoup exiger de nous cet amour dépouillé de l'attachement qui va souvent avec. Mais c'est l'étonnante générosité dont Dieu semble faire preuve à notre égard.

- L'image du Dieu dépanneur est une image qui nous parle. Il n'est pas toujours facile de résister au désir d'aider nos enfants. Mais si nous faisons tout à leur place, ils ne sauront jamais faire tout seuls. Dieu, lui, ne fait pas de nous des assistés.
- L'image du bon savant qui nous mettrait sous cloche évoque notre tentation de les protéger de tous les risques et de tous les dangers. Mais il est bon que les parents laissent leurs enfants « se brûler », disait Gandhi, sinon comment comprendront-ils que le feu brûle ? Dieu respecte notre liberté.
- L'image du Dieu qui n'ouvre sa porte qu'aux gentils nous rappelle peut-être certaines de nos « ruses » (« Non, je ne m'occupe pas de toi tant que tu ne t'es pas calmé »). Et si, bien sûr, nous pardonnons à nos enfants leurs bêtises et leurs inévitables erreurs, peut-être gardent-ils tout de même un léger malaise, une certaine culpabilité.

C'est libérant d'inscrire dès le début de la vie que, quels que soient nos errements, il y a quelqu'un qui nous pardonne, et qui cherche à recréer la relation sans cesse. Car s'il est dans la nature de l'homme de faire des erreurs, il est dans la nature de Dieu de pardonner.

À découvrir en famille

3 MAGAZINES POUR L'ÉVEIL À LA FOI DES ENFANTS

Croire en la vie, en ses amis, en Dieu,
en moi, croire ou ne pas croire,
Aimer le soleil, la vie, sa maman
et son papa, le silence, Jésus, les fleurs,
Vivre à fond la caisse, sa foi, d'amour
et d'eau fraîche, en famille,
ses passions, ensemble...

POMME D'API SOLEIL, FILOTÉO, PRIONS EN ÉGLISE JUNIOR

bayard

Les réponses aux grandes questions des tout-petits

bayard

En librairie 14,90 €

À paraître le 19 septembre

« Dieu, c'est qui? »
est un hors-série du magazine *Pomme d'Api Soleil.*
Textes : Marie-Agnès Gaudrat et Marie Aubinais.
Illustrations : réédition des illustrations originales de Josse Goffin.

Conception et réalisation maquette : Catherine Marie Vernier.

Rédaction de *Pomme d'Api Soleil* : 18, rue Barbès, 92128 Montrouge Cedex. Tél. : 0174316060. Directeur de la publication : Georges Sanerot. Directeur délégué « Enfance/Jeunesse/Famille » : Pascal Ruffenach. Directrice éditoriale : Clotilde Baville. Responsable éditoriale : Sophie Furlaud. Chef de studio : Catherine Marie Vernier. Secrétaire générale de rédaction : Sophie de Brisoult. Secrétaire de rédaction : Chantal Ducoux. Assistante de la rédaction : Laurence Jamesse-Boileau. Rédactrice en chef visuel : Édith Novello. Conseillère technique des rédactions : Marie-Christine Bazin. Chef de marché : Sophie Delvert. Contrôleuse de gestion : Isabelle Émond. Fabrication : Dominique Mériot. Commission paritaire : n° 0915 K 87014. ISSN : 1267-351X. *Pomme d'Api Soleil* est réalisé en collaboration avec le SNCC.

Directrice des ventes : Pascale Maurin. Pour les marchands de journaux, dépositaires, tél. : 0800 293 687. Relations abonnés : Bayard, TSA 50006, 59714 Lille Cedex 9. Pour vous abonner : 0825825830 (0,15 € / min.). Pour gérer votre abonnement : 0174311506 (ou 00 33 1 74311506 depuis l'étranger), bpcontact@bayard-presse.com. Pour gérer votre abonnement en ligne : www.bayard-jeunesse.com. Tarif abonnement France : 49,90 € (1 an). Pomme d'Api Soleil est édité par Bayard Presse, société anonyme à Directoire et Conseil de Surveillance au capital de 16500000 €. Principaux associés : Augustins de l'Assomption, S. A. Saint-Loup, Association Notre-Dame de Salut. Loi n° 49956 du 16/07/1949 sur les publications destinées à la jeunesse. Directoire et Comité de Direction : Georges Sanerot (Président du Directoire), André Antoni, Alain Augé, Hubert Chicou (Directeurs généraux). Président du Conseil de Surveillance : Ghislain Lafont. Dépôt légal à parution. © 2013 by Pomme d'Api Soleil. Impression : Imprimerie Moderne de l'Est 3, rue de l'Industrie – BP 32017 - 25112 Baumes-les-Dames Cedex. Reproduction interdite sans autorisation. Belgique. Éditeur responsable : Laurence Festraets, administratrice déléguée, Bayard Presse Benelux - rue de la Fusée 50, boîte 10 - B 1130 Bruxelles, Belgique. Tél. : 0800 90028 (de Belgique, gratuit) ou 0032873087 32 (de France). Fax : 0800 90029 (de Belgique, gratuit) ou 0032873070 49 (de France) et 800 29 195 (du Luxembourg). www.bayardmilan.be Canada Bayard Jeunesse. Éditeur responsable : Suzanne Spino, présidente, Bayard Canada, 4475 rue Fontenac, Montréal (Québec) H2H2S2, Canada. Abonnements : Bayard Canada - C. P. 990, succ. Delorimier, Montréal (Québec) H2H 2T1 Canada. Tél. : 00 1 514227 0061 (de France) ou 1 866 600 0061. Fax : 00 1514278 3030 (de France). www.bayardjeunesse.ca Suisse. Edigroup SA, 39 rue Peillonnex, 1225 Chêne-Bourg, Suisse. Tél. : 00 41 22 860 84 02. Fax : 00 41 22 349 25 92. E-mail : abobayard@edigroup.ch Vos coordonnées personnelles (nom, prénom, adresse) sont destinées au groupe Bayard, qui publie Pomme d'Api Soleil. Elles sont enregistrées dans notre fichier clients à des fins de traitement de votre abonnement. Elles sont susceptibles d'être transmises en dehors de la communauté européenne à des fins d'enregistrement et de traitement de votre abonnement ou de votre réabonnement. Conformément à la loi « Informatique et Libertés » du 6 janvier 1978 modifiée, elles peuvent donner lieu à l'exercice du droit d'accès et de rectification à l'adresse suivante : Bayard (CNIL), TSA 10065, 59714 Lille Cedex 9. Si vous ne souhaitez pas que vos données soient utilisées par nos partenaires à des fins de prospection commerciale, vous devez nous en avertir par courrier à la même adresse.

OUI, je m'abonne !

Pomme d'Api Soleil, le magazine des 4-8 ans pour l'éveil à la foi des petits.

Pomme d'Api Soleil est un magazine proche des petits, de ce qu'ils connaissent et de ce qui les touche pour parler de la vie, de Dieu et les initier à une démarche spirituelle.

le sac à dos SamSam

Feuilleter votre magazine sur www.pommedapisoleil.com

bayard BULLETIN D'ABONNEMENT

À renvoyer à : Bayard Jeunesse - TSA 50006 - 59714 Lille Cedex 9

☐ **OUI,** j'abonne mon enfant à **Pomme d'Api Soleil 1 an** (6 n^os + 1 HS) + **le sac à dos SamSam en cadeau** pour **49,90 €**.

Mes coordonnées ☐M. ☐Mme

PRÉNOM

NOM

COMPLEMENT D'ADRESSE (RÉSIDENCE, ESC., BAT.)

N° (DE LA VOIE)(1) VOIE (RUE, AV, BD, CH, IMP...)(1)

LIEU-DIT/BP

CODE POSTAL VILLE

TÉLÉPHONE

ADRESSE E-MAIL. Merci de nous préciser votre adresse mail afin que nous puissions, conformément à la loi, vous adresser votre récapitulatif de commande.

Coordonnées de l'enfant à abonner

PRÉNOM DE L'ABONNÉ

NOM DE L'ABONNÉ

COMPLEMENT D'ADRESSE (RÉSIDENCE, ESC., BAT.)

N° (DE LA VOIE)(1) VOIE (RUE, AV, BD, CH, IMP...)(1)

LIEU-DIT/BP

CODE POSTAL VILLE

DATE DE NAISSANCE. Pour recevoir des offres exclusives pour son anniversaire. SEXE F. ☐ M. ☐

(1) Indiquez précisément le n° de voie et le libellé de voie pour une meilleure garantie de l'acheminement de votre abonnement.

☐ Je choisis de payer par carte bancaire sur www.bayard-jeunesse.com

A172643
code promotion

Votre abonnement sera plus vite enregistré et envoyé en toute sécurité. Saisissez votre **code promotion** dans le pavé « Abonnement magazine », en haut à droite, sur www.bayard-jeunesse.com

☐ Je choisis de payer par chèque bancaire à l'ordre de Bayard. je découpe ce bulletin complété et je le renvoie accompagné de mon règlement.

Offre valable jusqu'au 30/06/2014 en France métropolitaine uniquement. Les cadeaux sont réservés aux abonnés et sont expédiés au maximum sous 5 semaines après enregistrement du paiement. En cas de rupture de stock, vous recevrez un cadeau d'une valeur commerciale équivalente. Les informations sont destinées au groupe Bayard, auquel Bayard Presse appartient. Elles sont enregistrées dans notre fichier clients à des fins de traitement de votre abonnement. Elles sont susceptibles d'être transmises en dehors de la communauté européenne à des fins d'enregistrement et de traitement de votre commande. Conformément à la loi « informatique et libertés » du 6 janvier 1978 modifiée, elles peuvent donner lieu à l'exercice du droit d'accès et de rectification, d'opposition et de suppression des données vous concernant, à l'adresse suivante : Bayard (CNIL) - TSA 10065 - 59714 Lille Cedex 9. Si vous ne souhaitez pas que vos données soient utilisées par nos partenaires à des fins de prospection commerciale, cochez cette case ☐. Vous disposez d'un délai de 7 jours à compter de la réception de vos abonnements pour exercer votre droit de rétractation auprès de Bayard Presse. Pour toute demande, adressez-vous à Bayard Jeunesse - TSA 50006 - 59714 Lille cedex 9. Photos non contractuelles.